ESTHER et Mandragore

Conception graphique : Marie Rébulard
Mise en page : Élodie Breda

© Talents Hauts, 2016
ISBN : 978-2-36266-139-6

Loi n° 49-956 du 16 juillet 1949 sur les publications destinées à la jeunesse

Dépôt légal : janvier 2016

ESTHER et Mandragore

Sophie Dieuaide
Marie-Pierre Oddoux

Une sorcière et son chat

« Pour Chloé, évidemment !
Avec un très grand merci à Ombeline Desjours,
professeure de latin et de formules magiques. »
S. Dieuaide

« Pour mes deux apprentis sorciers,
Marilou & Oscar. »
M.-P. Oddoux

CHAPITRE 1

Prix de ceci ou de cela...

Ça y est ! Moi, Esther, élève de première année à l'école des sorcières, j'ai enfin reçu un prix ! Je sentais bien que ce ne serait pas une nuit comme les autres. La salle de réception de l'école était pleine à craquer. On avait brossé les tapis, chassé les araignées et allumé tous les chandeliers. Nous portions nos plus belles robes noires et nos bottines étaient parfaitement cirées. Derrière nous, nos mères et nos chats. Sauf le mien, bien sûr. Mandragore n'en fait qu'à sa tête, il s'était glissé près de moi sur le banc.

– Pousse-toi un peu, Esther, m'a dit mon chat.
Tu ne vois pas que tu prends toute la place ?

– Chuuut...

Dame Mira, la directrice, appelait les élèves sorcières qui recevaient un prix. Je croisais les doigts
pour qu'elle dise enfin : Premier prix de ceci ou
Premier prix de cela... élève Esther ! Mais cela
n'arrivait pas. Nos professeures applaudissaient
l'élève qui montait sur l'estrade et elles lui remet-
taient un beau parchemin retenu par un ruban
rouge.

– Premier prix de Métamorphose... élève
Mirande !

Je ne risquais pas de l'avoir celui-là. J'avais
réussi à me transformer en corbeau au plumage
soyeux. Mais raté, j'avais quatre pattes.

– Premier prix de Sortilèges... élève Bruge !
Le prix de Sortilèges, j'aurais pu le gagner, j'adore
les formules magiques. C'est comme apprendre
une chanson en plus embêtant quand on se trompe
dans les paroles. Mais Bruge est imbattable.

Elle travaille tout le temps. Même pendant le jour, je l'ai vue réviser en cachette au dortoir !

Prix de Potions, prix d'Histoire de la Sorcellerie, prix d'Étude des Astres ; il y en avait beaucoup, aucun pour moi.

Mandragore commençait à me regarder d'un air sévère et je n'osais pas me retourner vers ma mère. Je savais déjà ce qu'elle allait me dire : « Moi quand j'étais jeune, je raflais tous les prix ! » Et je savais déjà ce que j'allais répondre : « Toi, c'est toi ; moi, c'est moi ! Et à ton époque, c'était mille fois plus facile ! La moitié des sorts que nous apprenons maintenant n'avaient pas été inventés. » On allait se disputer. Oui, il valait mieux que j'évite de me retourner.

J'ai eu un petit espoir quand Dame Mira a annoncé :

— Prix d'Entraide et de Camaraderie...

Mais elle a ajouté :

— ... élève Lucia !

Mon amie a décollé du banc.

– C'est moi ! s'est-elle écriée.

Ce que personne n'ignorait.

Lucia s'est envolée aussitôt pour atterrir sur le pupitre de la directrice. Elle était si petite qu'une goutte d'onguent de crapaud sur le cou lui suffisait pour voler pendant des lunes. Pour quelqu'un de ma taille, il aurait fallu en préparer des litres. Deux exactement. Je le sais, j'ai déjà essayé. Une nuit où j'avais voulu voler jusqu'en haut de la tour de Dame Mira. De drôles de fumées colorées s'échappaient souvent de là et j'avais très envie de savoir pourquoi. Qu'est-ce qu'elle préparait ? Des potions inconnues ? J'ai décollé sans problème, j'ai volé sans problème, mais j'ai eu beaucoup de mal à me poser sur l'étroit rebord de sa fenêtre. C'est pour ça que Dame Mira m'a entendue. Elle est apparue dans l'embrasure, elle a froncé les sourcils et a levé sa baguette. Aussitôt, un vent tourbillonnant m'a emportée loin, très loin au bout du bout du parc de l'école, au-delà du lac. Là où c'est assez boueux.

– Bravo, Lucia ! Bravo !

Pour son prix de Camaraderie, Lucia fut de loin la plus applaudie ; aucune récompense n'était plus méritée.

Habituellement, après ce dernier prix, nous rejoignions nos mères. Mais, au lieu de nous inviter à nous lever, Dame Mira a frappé le pupitre de sa baguette pour obtenir le silence.

– La cérémonie n'est pas terminée ! a-t-elle crié. Gardez vos places. Cette année... pour la première fois, le Grand Conseil des Sorcières a demandé à notre école...

Un murmure a parcouru l'assemblée à l'évocation du Grand Conseil.

– ... d'attribuer un prix exceptionnel ! La plus grande qualité d'une élève sorcière est sans aucun doute la curiosité. Sans curiosité, aucun goût d'apprendre ; sans curiosité, aucune envie d'inventer ! Et ce Premier prix de Curiosité revient évidemment à... Esther Fleurdefer !

Qu'est-ce que j'étais contente !

Mon chat s'est écrié :

– Je l'savais... Esther, t'es la meilleure !

Comme je ne bougeais pas, il a dit aussi :

– Tu vas te lever pour aller chercher ta récompense, oui ?

Je suis montée sur l'estrade. Les professeures m'ont souri, j'étais impressionnée.

Dame Mira m'a remis un parchemin en ajoutant :

– Euh... Ce prix n'est pas exactement comme les autres...

Elle a posé ses grandes mains sur mes épaules.

– En récompense, cette nuit même... tu pars pour l'Autre Monde, Esther ! Tu habiteras chez notre sœur Agatha. Elle vit là-bas depuis... très longtemps.

– Chez les humains ! s'est exclamé mon chat.

C'était vrai. C'était écrit.

– Et moi ? Et moi ? s'est écrié Mandragore en sautant dans mes bras. Si Esther part, je pars !

L'Autre Monde ! Comme beaucoup de petites sorcières, j'en rêvais depuis toujours.

Sur ordre du Grand Conseil des Sorcières, nous, directrice et professeures, décernons ce jour le Premier prix de *Curiosité*, à *Esther Fleurdefer*, élève de *première* année en notre école.

En récompense, *Esther Fleurdefer* se rendra quand elle le souhaitera dans l'Autre Monde. Il lui est demandé de veiller à ce qu'aucun humain ne la surprenne en plein acte de magie.

Son premier départ est immédiat.

L'Autre Monde, on le disait si étonnant ! Je savais qu'il existait certains passages pour s'y rendre, mais il fallait une magie puissante qu'à notre âge nos professeures ne nous apprenaient pas.

Ma mère est montée sur l'estrade, elle souriait. En la voyant, de peur qu'elle ne l'attrape, mon chat a planté ses griffes dans ma robe.

– Bravo, Esther, m'a-t-elle félicitée en se penchant pour lire mon parchemin. Oh ! Il est dit quand tu pars, mais il n'est pas écrit quand tu reviendras.

– Esther rentrera quand elle le voudra, a précisé la directrice en levant sa baguette.

Et d'un sort, elle nous a envoyés dans l'Autre Monde.

Voilà comment nous nous sommes retrouvés, Mandragore et moi, dans un jardin, une nuit, nez et museau dans l'herbe, aux pieds de Sorcière Agatha...

CHAPITRE 2

Pour chiens et chats

Depuis quelques semaines, je suis dans l'Autre Monde et c'est passionnant. Je me suis habituée très vite à vivre le jour et à dormir la nuit, un peu moins vite à porter ces drôles de vêtements que m'a donnés Agatha.

Depuis que je suis ici, j'observe tout, absolument tout. Parce que j'ai réfléchi. Je me suis demandé : « Pourquoi ce voyage et ce prix de Curiosité ? » Maintenant, j'en suis certaine, le Grand Conseil des Sorcières m'a envoyée ici pour tout apprendre des humains. Je me suis même demandé :

« Pourquoi moi ? Pourquoi une sorcière de première année de rien du tout alors qu'il y a déjà ici des sorcières comme Agatha ? » Peut-être parce qu'un enfant peut remarquer des choses qu'un adulte ne verra pas. Peut-être...

J'ai quand même du mal à m'empêcher de pratiquer la magie. Aucun humain ne doit me surprendre en train de jeter un sort, c'est écrit sur mon parchemin. Et Agatha me l'a répété dès mon arrivée : « Attention, Esther, pas de sort, pas de potion devant les humains, ils ne comprendraient pas. Mais, ne t'inquiète pas ; tant que personne ne saura qui tu es, tu pourras rester chez moi. »

Pourtant, quand le chien du voisin a poursuivi Mandragore, j'aurais tellement aimé transformer cette affreuse bête poilue en souris ! Mon chat adore les souris... Et la formule est facile, toutes les sorcières de première année la connaissent.

J'ai résisté. J'ai chassé le chien du voisin avec un simple tuyau d'arrosage. Finalement, ça marche aussi bien qu'un sort !

Sorcière Agatha m'invite à vivre comme une petite fille d'ici, elle m'encourage à sortir le plus possible de la maison. Chaque jour ou presque, je me rends en ville. C'est incroyable tout ce qu'il y a à découvrir. Je pourrais rester ici des lunes et des lunes sans jamais m'ennuyer.

Ce monde est si étrange ! On dirait, par exemple, que les humains ne fabriquent rien. Ils ne cousent pas leurs vêtements, ils ne font même pas leurs chaussures. C'est incroyable ! Ils entrent dans des maisons qu'ils appellent des *magasins* et ils choisissent ce qu'ils veulent. Ils ont des magasins de nourriture, des magasins de livres, des magasins de tout.

Et j'y vais souvent. J'ai déjà rempli un gros sac de souvenirs de ce monde que j'offrirai à mes amies à mon retour. Dommage qu'on ne puisse pas communiquer. J'aurais aimé leur parler de leurs cadeaux pour qu'elles m'attendent avec encore plus d'impatience. Pour ma mère, j'ai choisi d'étonnants petits flacons de parfum. Ils sont magnifiques, bien plus jolis que nos fioles, mais la potion qu'ils contiennent n'a aucun pouvoir. Elle ne sert à rien d'autre qu'à sentir bon !

Il y a quelques jours, j'admirais encore ces flacons quand Mandragore s'est mis à ronchonner :

– Et moi ? Qu'est-ce que je vais rapporter aux copains ?

– Je ne sais pas, Mandragore... Une boîte de ces drôles de croquettes qu'Agatha te sert ?

– Ah non ! Beurk ! Je veux leur faire plaisir, pas les empoisonner !

– J'ai entendu dire que certains magasins vendent des choses spécialement pour les chats. Veux-tu qu'on aille y faire un tour ? ai-je proposé.

– Tu veux dire des magasins exprès pour nous ? s'est enthousiasmé Mandragore. Oh ! Quel monde formidable ! Ah vraiment, ces humains sont des gens très bien. Allez, on y va !

Il a quitté ma chambre en courant. J'étais encore sur le palier qu'il dévalait déjà les escaliers.

L'autobus nous a déposés dans la rue principale

et j'ai demandé à une passante si elle connaissait un magasin pour chats.

– Seulement pour chats ? s'est étonnée la dame. Je ne crois pas que cela existe. Mais tu trouveras dans la première rue à droite une boutique de toilettage où l'on vend des objets pour chats et chiens.

– Quoi ? s'est écrié Mandragore. Ils nous mélangent avec les chiens ?

– Je te demande pardon ? m'a dit la dame.

– Rien, rien, je vous remercie.

Je suis vite repartie. Derrière moi, Mandragore bougonnait :

– Tsss... Qu'est-ce que je suis déçu !

– Chut...

– Pour chats et chiens ! Je n'en reviens pas !

– Chut...

Un petit garçon s'est retourné, un monsieur à la terrasse d'un café a posé son journal pour nous regarder. Pour ne pas nous faire davantage remarquer, j'ai pris Mandragore dans mes bras.

Il a enfoui sa tête dans mes cheveux pour continuer à chuchoter :

– Comment peut-on nous traiter ainsi ? Même si les chats d'ici ne savent pas faire grand-chose comparés à nous, c'est honteux !

– Tais-toi, on arrive...

Le magasin était minuscule : une seule vitrine et une petite porte en verre. Des étagères chargées d'objets encombraient l'entrée. Au fond, derrière un comptoir, une jeune femme brossait un chien blanc et frisé. Dans mon cou, j'ai senti Mandragore se tasser.

– Fichons le camp, a murmuré mon chat.

Trop tard, le carillon de la porte avait annoncé notre arrivée.

– Bonjour, petite, m'a accueillie la commerçante. Qu'est-ce que je peux faire pour toi ? Oooh... fais-moi voir ton joli chat ? Oooh... quel pelage magnifique ! Quel beau noir soyeux !

Mandragore se redressait peu à peu.

– Et ces moustaches de roi ! a-t-elle continué.
Il est somptueux.

Elle a jeté un regard par-dessus son épaule vers le
chien frisé et elle a ajouté à voix basse, comme si
elle avait peur de le vexer :

– Il n'y a rien à faire, les chats sont infiniment
plus élégants que les chiens !

Là, Mandragore était presque debout sur mon
épaule.

– Alors, tu as besoin de quelque chose pour
ton chat ?

– Oui, des petits cadeaux...

Tout de suite, elle nous a proposé un collier
incrusté de brillants, une luxueuse écuelle et
même un parfum.

Mandragore était sous le charme. Comme il
n'avait pas le droit de parler, il s'est mis à miauler.

– Et ce coussin douillet d'un joli bleu azur ? a
proposé la dame.

– Miaou !

– Ou celui-ci en fausse fourrure rose ?

– Miaou, miaou, miaou !

Très vite, sur le comptoir, les cadeaux de Mandragore ont formé un énorme tas.

– Lequel choisis-tu ? m'a demandé la dame.

Mon chat m'a regardée d'un air suppliant. Sans un mot, sans un miaulement, j'ai bien compris qu'il voulait tout.

– Je vais tout prendre, Madame.

– Tu es certaine de pouvoir acheter ces objets ? s'est étonnée la dame.

Elle a vérifié les étiquettes, Mandragore était déjà couché sur le coussin moelleux en fausse fourrure.

– Il y en a pour 53 euros, a compté la dame.

Catastrophe ! J'avais encore oublié qu'ici, il faut payer pour tout. Ils n'ont pas de pièces en or comme nous, les leurs sont en métal qui ne vaut rien. Mais, plus étrange encore, ils ont des bouts de papier bariolés qu'ils appellent des billets. Certains billets peuvent valoir une bourse d'or !

Heureusement, au fond de ma poche, j'ai retrouvé

le petit billet que m'avait donné Agatha et je l'ai montré à la dame.

– Dix euros... Eh bien... tu vas devoir choisir, a-t-elle dit.

– Alors, nous allons prendre le coussin rose, hein, Mandragore ?

Mandragore a gémi et posé la patte sur le collier aux brillants.

Je ne sais pas résister à mon chat. J'ai vite réfléchi : faire apparaître au fond de ma poche d'autres billets... Est-ce que c'était vraiment de la magie ? Même pas besoin de formule, un claquement de doigts suffisait. J'ai quand même hésité. Une sorcière du Grand Conseil était peut-être en train de me surveiller ? Tout le monde sait qu'elles se transforment comme bon leur semble. Qui sait ? Elles pouvaient prendre l'apparence de cette vieille dame qui regardait la vitrine ou même du chien blanc et frisé qui ne semblait pas nous prêter attention depuis notre arrivée.

Peut-être, mais peut-être pas. Et puis en cachette au fond de ma poche, ce n'était pas exactement au nez des humains.

Alors, j'ai claqué des doigts.

CHAPITRE 3

Où est passé Puce ?

P endant quelques instants, j'ai eu peur qu'une sorcière apparaisse en homme, en femme ou en minuscule insecte et qu'elle grogne « On avait dit *Pas de magie devant les humains*, Esther ! Retour immédiat à l'école des sorcières pour toi et ton chat ! »

Mais rien. Des billets plein la poche, tant que les humains ne les voyaient pas, ça ne comptait pas. Les bras chargés de paquets, j'ai quitté le magasin. Mandragore sautillait autour de moi. Après quelques pas sur le trottoir, il s'est arrêté brusquement.

– Esther... Esther, penche-toi ou ils vont m'entendre...

– Qu'est-ce que tu veux, Mandragore ? Tu ne vas pas réclamer un autre cadeau, j'espère ?

– Non, non... Mais dis, Esther... est-ce que je peux mettre le collier tout de suite ?

– Je croyais que c'était pour tes copains ?

– Oui, oui... Mais je peux quand même en garder un petit pour moi, hein ? Rien qu'un ?

J'ai dû vider les sacs pour retrouver le collier. Il faut reconnaître qu'il lui allait bien. Un peu voyant, un peu trop brillant, peut-être. Nous sommes repartis vers l'arrêt de bus. Mandragore marchait devant moi, la tête haute, le cou tendu, quand une dame s'est approchée. J'ai pensé que je m'étais rassurée trop vite, c'était peut-être elle, l'envoyée du Grand Conseil. Elle avait les cheveux aussi roux que ma mère ! Mais, tout à coup, la dame a tendu les mains vers mon chat et elle lui a chuchoté :

– Viens par ici, mon minet...

Elle parlait d'une voix très douce, elle souriait pour l'attirer vers elle, c'était louche. Et soudain, elle s'est précipitée sur Mandragore pour l'aplatir sans ménagement sur le trottoir !

D'une voix plus douce du tout, elle a crié :

– Je l'ai ! Je l'ai trouvé ! Il est là !

J'ai lâché mes paquets et j'ai couru sauver mon chat.

Cela ne pouvait pas être une sorcière du Grand Conseil. Jamais une sorcière n'aurait été aussi brutale avec un chat. J'ai voulu le dégager des mains de cette femme, mais elle tenait bon. Alors j'ai tiré sur ses bras, j'ai tiré sur ses cheveux, j'ai tiré sa robe. C'est quand on a entendu un grand *craaac !* qu'elle a enfin lâché Mandragore. J'ai attrapé mon chat au vol et je me suis éloignée très vite.

– Au secours, Esther, a-t-il murmuré en se blottissant contre moi. Cette folle veut me piquer mon collier !

– Non, non... Calme-toi, je suis là.

La dame revenait vers moi.

– Mais laissez-nous tranquille ! ai-je crié. Qu'est-ce que vous lui voulez à mon chat ?

Magie interdite ou pas, elle allait se retrouver très vite transformée en flaque d'eau ou en crotte de chien sur le trottoir.

– C'est le tien ? s'est exclamée la dame, l'air très étonné.

– Méfie-toi de son air sympa, a chuchoté

Mandragore à mon oreille. C'est une ruse... c'est sûr qu'elle va recommencer, elle va m'attaquer...

La dame semblait sincèrement désolée.

– La petite fille, là-bas, près de l'entrée du square, cherche le sien partout, a-t-elle expliqué. Excuse-moi, j'ai cru que c'était lui. Depuis plus d'une heure, j'aide à le chercher.

La dame a mieux observé Mandragore.

– C'est vrai qu'il est noir comme celui que la petite a décrit mais il est beaucoup, beaucoup plus gros que ce qu'elle a dit.

Mandragore a craché dans mon oreille :

– Gros ? Comment ça, gros ? Elle ne s'est pas regardée, elle !

Après un soupir, la dame est partie. J'ai jeté un œil à la montre qu'Agatha m'avait offerte. J'avais encore une heure avant le dîner.

– Et si on allait aider à retrouver le chat perdu ? ai-je proposé discrètement à Mandragore.

– Tout ce que tu veux à condition que tu me portes, a-t-il répondu. Je suis trop beau avec ce collier, d'autres humains pourraient essayer de m'enlever !

Avec l'un de mes sacs, je lui ai fabriqué une sorte de porte-bébé comme en utilisent les parents d'ici. Je l'ai installé dedans et j'ai repris mes paquets. Près du square, il y avait un attroupement autour d'une petite fille. Elle devait avoir à peu près huit ans. Elle avait l'air très inquiète.

– J'ai fouillé le square du kiosque à la fontaine, lui a dit un monsieur âgé. Je suis désolé, Zoé, mais ton chat n'y est pas.

– Dans le bac à sable non plus ! s'est écrié un petit garçon armé d'un râteau. Et rien du côté des balançoires.

Zoé a hoché la tête en reniflant.

– On a fait tout ce qu'on a pu, a ajouté le vieux monsieur. Tu devrais rentrer chez toi et préparer des affichettes à accrocher chez les commerçants du quartier.

– Et si on appelait la police pour qu'elle organise des recherches ? a dit le petit garçon au râteau.

Ils fouilleraient le square avec des chiens policiers.

– Et pourquoi pas l'armée et quelques hélicoptères ? a protesté sa mère. Ne dis pas de bêtises, mon chéri ! La police a autre chose à faire que de s'occuper des animaux égarés. Un chat, ce n'est jamais qu'un chat.

C'était sans doute vrai chez les humains mais ce n'était pas très malin de le dire devant Zoé. Elle s'est mise à pleurer et Mandragore s'est énervé.

– Non, mais tu as entendu ce que j'ai entendu, Esther ? *Un chat, ce n'est jamais qu'un chat...* Et une imbécile sans cœur, c'est quoi alors ?

Heureusement, personne ne l'a entendu.

Petit à petit, ceux qui avaient cherché le chat perdu ont commencé à quitter le square et nous n'avons plus été que trois : Zoé, Mandragore et moi.

– Il est comment, ton chat ? ai-je demandé.

– Il s'appelle Puce... Il est très mignon et il a un beau poil noir... a-t-elle répondu sans lever le nez.

– Tu n'aurais pas une de ces images en papier qui le représente ?

– Une photo ! a précisé à voix haute cet idiot de Mandragore.

– Si, bien sûr... chez moi, a dit Zoé.

Elle a enfin relevé le menton et j'ai vu ses beaux yeux, aussi verts que les miens.

– Allons-y !

CHAPITRE 4

Zoé cherche son chat

Zoé habitait à deux pas, dans un petit immeuble. C'est son père qui nous a ouvert dès qu'on a sonné.

– Oh, Zoé ! s'est-il exclamé. Tu n'as pas retrouvé Puce ?

– Non, Papa, mais je te présente Esther. Elle m'aide à le chercher. Suis-moi, Esther...

Jamais je n'aurais imaginé qu'un humain aime son chat autant que nous, les sorcières, aimons les nôtres. Moi, j'en ai reçu un dès le jour de ma naissance, mais j'ai remarqué qu'ici, il y a même des humains qui n'en ont pas !

Dans la chambre de Zoé, il y avait des photos de Puce partout. Puce dans son panier, Puce à deux semaines, Puce à un mois, Puce dans un jardin, sur un canapé, dans une brouette, Puce tout mouillé enroulé dans une serviette de bain.

Zoé ne pouvait s'empêcher de sourire en le regardant.

– C'est mon père qui a pris cette photo, a-t-elle expliqué. Puce était tombé dans la baignoire ! Pour rester près de moi, il s'était installé sur les robinets et *ziou*, il a glissé et *plouf*, il a coulé.

– Le mien aussi, une nuit, a coulé à pic dans mon chaudron ! me suis-je écriée. Qu'est-ce que j'ai ri ! Il voulait goûter ma soupe d'orties, ça, on peut dire qu'il l'a goûtée. Il en avait plein les oreilles ! Heureusement que ce n'était pas la veille... Potion de crapauds, pattes d'araignées et venin de guêpes, je ne sais pas comment on l'aurait retrouvé en le repêchant ! Sans un poil sans doute.

– T'es folle ? m'a chuchoté Mandragore.

Pourquoi tu lui parles de ton chaudron ? Vas-y...
Raconte-lui ta vie ! « Salut, je suis une sorcière et
toi, tu t'y connais en magie ? »
Oups ! Cela m'avait échappé. Coup de chance, Zoé
ne m'écoutait pas vraiment, elle fixait la photo.

– Bon... on l'admire ou on le cherche, le chat ?
s'est énervé Mandragore.
Je lui ai jeté un regard noir et j'ai vite dit :

– Zoé ! Tu crois que ton père aurait du matériel
pour fabriquer des affichettes ?

– Euh... oui... Bien sûr ! Je vais lui demander.
Le père de Zoé nous a apporté des feuilles de
papier, des ciseaux, des crayons feutre, un rouleau
de ruban collant et nous nous sommes installées
sur le petit bureau de Zoé.
Sur la première feuille, je me suis appliquée à
écrire : « Zoé cherche son chat ! Il s'appelle Puce.
Il est noir et très mignon. »
Puis j'ai dessiné le chat.

– Qu'est-ce que tu fais, Esther ? s'est étonné le
père de Zoé.

– Eh bien, le portrait de Puce ! Je dois me dépêcher. Cela va me prendre beaucoup de temps si on veut faire plusieurs affichettes.

– Mais il y a tellement plus simple ! Colle une photo de Puce, je note notre numéro de téléphone et vous irez photocopier le tout.

Le téléphone, je connaissais, mais *photocopier une photo*, qu'est-ce que c'était encore que ça ? J'ai regardé Mandragore. Il a levé les pattes avant pour m'indiquer qu'il n'en savait rien non plus.

Alors nous sommes descendus, à la suite de Zoé, chez le marchand de journaux.

– Bonjour, monsieur, c'est pour faire des photocopies, lui a dit Zoé.

D'un geste, l'homme nous a indiqué une volumineuse machine blanche au fond du magasin. Zoé a soulevé un couvercle et elle a déposé l'affichette contre la vitre. Elle a rabattu le couvercle et elle a appuyé sur un bouton. On a entendu *bvvvvvv* et aussi *rrrrrrr*. Et soudain, la machine a craché une affichette toute pareille à la nôtre.

– Ça alors, quel sort ! a murmuré Mandragore. Oh, j'adore les humains... Ils n'ont aucun pouvoir, mais ils savent inventer tellement de choses pour s'en passer. À moi d'essayer !

Il a sauté sur la machine et il a appuyé. Une fois, dix fois, vingt fois, la machine continuait de cracher et Zoé riait aux éclats.

– Il est drôlement malin, ton chat, m'a-t-elle dit. C'est fou, il a compris tout de suite comment ça fonctionnait !

Soudain, Mandragore s'est figé. Avec un drôle d'air. Il a souri, il a glissé la patte pour ouvrir le couvercle et il a collé son museau sur la vitre.

– Bonne idée ! s'est exclamée Zoé en appuyant aussitôt sur le bouton.

On a eu une photocopie du museau de Mandragore, une photocopie de Mandragore étalé sur le ventre, une photocopie de Mandragore étalé sur le dos, une photocopie de son oreille droite, une photocopie de son oreille gauche. J'aurais bien aimé en faire une de nos trois têtes collées sur la vitre, mais c'est là que le monsieur s'est mis à crier :

– Arrêtez ça immédiatement ! Vous vous croyez où ? Dans une cour de récré ?

Zoé a payé les photocopies (celles de Mandragore aussi) et on est partis. D'abord, on a distribué les affichettes chez les commerçants de la rue

principale. Ensuite, on en a accroché quelques-unes sur la grille du square, puis nous avons quitté Zoé.

– Allez, courage, ai-je dit. On se retrouve demain à dix heures au square ? Je suis sûre que tu auras déjà récupéré ton chat !

J'ai fouillé dans mes sacs. Au hasard, j'ai pris le coussin en peluche rose et je l'ai donné à Zoé.

– Tiens ! C'est pour Puce ! Est-ce que je t'offrirais un coussin pour ton chat si je n'étais pas certaine que tu allais le retrouver ?

Elle a souri, Mandragore a gémi et moi, je l'ai pris dans mes bras pour sauter dans l'autobus.

CHAPITRE 5

Sine aqua
Esther abliris...

P oulet grillé, purée, yaourt aux fruits,
nous sommes arrivés à temps pour le
dîner.

– Tu veux un yaourt, Mandragore ? C'est
bizarre comme goût, mais c'est bon.

– Laisse-moi tranquille, m'a-t-il répondu. Je ne
te parle plus.

– Quel caractère ! s'est exclamée Agatha. Quelle
idée d'avoir emmené ton chat, Esther. Tu aurais
dû le laisser à ta mère. Comme si j'avais pris le
mien ici ! Et pourtant, il était beaucoup plus
aimable que Mandragore, ce qui n'est pas difficile.

Vivre sans chat, c'était un peu étrange pour une sorcière. Mais Agatha habitait ici depuis si longtemps que j'en venais à me demander si elle en était encore une.

– C'est Esther qui a commencé, a protesté Mandragore. Elle venait de m'acheter un coussin rose et elle l'a donné à une petite fille ! Oooh, mon beau coussin... Qu'est-ce qu'il était joliii...

– Tu en as déjà un... a rétorqué Agatha. As-tu tellement grossi qu'un seul coussin ne te suffise plus ? J'ai éclaté de rire et Mandragore a quitté la salle à manger, l'air renfrogné.

Agatha voulait qu'on regarde la boîte à images qui bougent (on dit *la télévision*), mais je préférais monter me coucher.

– Allez... Rien qu'un petit moment, a insisté Agatha. Installe-toi près de moi sur le canapé !

Elle a appuyé sur une boîte noire, longue et plate, et la télévision s'est allumée.

– Oh ! Mon feuilleton ! s'est écriée Agatha. J'ai raté le début !

On entendait des violons et on voyait un homme dîner avec une femme. Il devait être très amoureux puisqu'il préférait la regarder plutôt que manger. Moi, à sa place, je me serais concentrée sur le contenu alléchant de mon assiette.

— Agatha, je peux te poser une question ?

— Attends. Ce soir, je suis sûre qu'il va lui dire qu'il l'aime ! Ça fait cinq épisodes que j'attends ça !

– Juste une question...

Agatha a soupiré.

– Je t'écoute, a-t-elle dit, les yeux toujours rivés sur l'écran.

– Pourquoi dans ce monde-ci, les hommes et les femmes vivent ensemble et pas chez nous ?

Agatha s'est redressée dans le canapé. Elle a pris un coussin et l'a tapoté, un peu comme si elle cherchait à gagner du temps avant de me répondre.

– Agatha ?

– Peut-être... que... c'est parce qu'il n'y a pas de Grand Conseil des Sorcières ici. Personne n'a encore décidé que, puisque les hommes ne veulent pas comprendre que nous sommes leurs égales, autant les éloigner.

– Tu crois qu'un jour les Sorciers reviendront ? ai-je encore demandé.

Mais je n'ai pas eu la réponse, l'homme venait d'offrir à la femme une petite boîte rouge. Dedans, il y avait un anneau d'or avec un gros bout de verre dessus qui a eu l'air de beaucoup lui plaire.

« Oh, Teddy ! Cette bague est magnifique ! » a crié la femme.

– Je le savais ! Il l'aime ! a crié Agatha.

La foudre se serait abattue sur le salon qu'Agatha ne l'aurait pas remarqué. J'en ai profité pour m'éclipser et monter dans ma chambre sous les toits.

Là-haut, j'avais choisi une pièce mansardée où je m'étais même installé un petit laboratoire. Mandragore n'y était pas. Il avait décidé de dormir ailleurs pour bien me montrer qu'il était fâché. Moi, pour bien lui montrer que cela m'était égal, j'ai crié sur le palier : « Bonne nuit, boudeur ! Aaaah, je vais bien dormir... moi ! Pour une fois que j'aurai toute la place ! Pour une fois que je n'entendrai pas ronfler ! »

Je me suis allongée sur mon lit pour réfléchir un peu à la journée, mais j'étais tellement fatiguée que je me suis endormie aussitôt toute habillée ! Le lendemain matin, c'est Mandragore qui m'a réveillée.

– Esther, debout ! criait-il. Il est plus de neuf heures !

Les pattes sur mon torse, il me hurlait dans les oreilles :

– Dépêche-toi ! On va rater notre rendez-vous avec Zoé !

Je me suis levée (l'avantage de ne pas avoir enlevé mes vêtements, c'est que j'étais déjà habillée) et je me suis précipitée vers la porte.

– Hé ! La salle de bain est de l'autre côté ! a dit mon chat. Tu ne te laves pas ?

– Non, je ne veux pas être en retard...

Mandragore s'est pincé le museau.

– Bas question ! Du de laves ou du y vas doude zeule...

Alors j'ai prononcé lentement : *Sine aqua Esther abliris...*

– Magnifique, Esther, mieux qu'une douche ! T'es toute propre, tu brilles comme un sou neuf ! s'est exclamé Mandragore. On y va !

Quand nous nous sommes assis dans l'autobus presque vide, j'ai chuchoté à Mandragore :

– Ce matin, tu te préoccupes beaucoup de cette petite fille et de son chat. C'est curieux, non ? Moi qui croyais que tu n'aimais pas les chats d'ici !

– Et tu as raison : tous des imbéciles ! m'a confirmé Mandragore. Parlent pas, réfléchissent pas. Ils miaulent pour ne rien dire et font pipi dans des litières parfumées.

– Alors pourquoi tiens-tu autant à aider ce chat ?

Mandragore a fait semblant d'admirer le paysage qui défilait derrière la vitre. C'était joli. Je me suis dit qu'il faudrait rapporter quelques images sinon aucune de mes amies ne croirait qu'on peut peindre les volets des maisons en bleu ou avoir envie de planter dans les jardins autant de fleurs qui ne servent à aucune potion.

– Réponds, Mandragore...

Il s'est retourné d'un bloc.

– Parce que si Zoé retrouve son fichu chat, elle

me rendra peut-être mon coussin rose. Voilà pourquoi ! s'est exclamé Mandragore.

Brusquement, l'autobus a ralenti.

– Tout va bien ? a demandé le chauffeur en cherchant des yeux dans le petit miroir au-dessus de sa tête d'où venait ce cri.

Oui, tout allait bien. Mais en voyant Zoé à l'entrée du square, j'ai compris que son chat n'était pas rentré.

– Hier soir, après votre départ, j'ai fait un grand tour avec mon père, nous a-t-elle expliqué. Il a agité un paquet de croquettes dans tout le quartier, mais ça n'a rien donné.

– Et les affiches chez les commerçants ?

– Rien non plus.

– Demande-lui ce qu'elle a fait de mon coussin, m'a chuchoté Mandragore.

– Chut !

J'ai réfléchi quelques instants et j'ai dit à Zoé :

– Nous allons interroger tous les habitants. C'est promis, on va le trouver ! On commence par cet immeuble-là...

Et on a vite sonné chez le gardien.

– Désolé, je n'ai pas vu de chat perdu, nous a-t-il répondu. Bonne chance !

Et c'est à peu près ce que nous avons entendu après chaque coup de sonnette à chaque immeuble de chaque rue.

Je perdais espoir quand une dame nous a demandé :

– Il était tatoué ? On lui avait implanté une puce électronique ?

Mandragore a gémi et il s'est collé contre mes jambes.

– Non, madame, a répondu Zoé.

– Essayez donc le vétérinaire le plus proche, a conseillé la dame. Quand les gens trouvent des animaux, il est fréquent qu'ils les lui déposent. La clinique vétérinaire du docteur Mathieu est dans cette rue... au numéro 3.

En chemin, Zoé s'est étonnée que je ne sache pas qu'on tatouait les chats ou qu'on leur implantait des puces codées. Elle a parlé de lecteur de puces, d'ordinateur, de connexion à un site spécialisé pour pouvoir retrouver leurs propriétaires. Je n'ai rien compris mais j'ai beaucoup hoché la tête. La conversation rendait Mandragore très nerveux. À chaque détail, il tremblait davantage. Quand nous sommes arrivés chez le vétérinaire, j'ai dû le prendre dans mes bras.

Derrière un comptoir, le docteur Mathieu rangeait des dossiers avec son assistant. Il nous a accueillis avec un sourire.

– Bonjour ! Je suis le vétérinaire, que puis-je pour vous ? Vous m'amenez ce chat qui m'a l'air beaucoup trop nourri ?

Mandragore a enfoui sa tête dans mon cou.

– Au secours, Esther... a-t-il gémi. Je ne veux pas qu'il me tatoue, je ne veux pas qu'il m'implante, je ne veux pas mourir dans l'Autre Monde !

Très vite, j'ai expliqué pourquoi nous venions, mais personne n'avait apporté de chaton au docteur Mathieu. Zoé est repartie encore plus démoralisée. Quelle idée aussi de dire à une petite fille : « Un chat si jeune ne retrouve jamais sa maison tout seul. Pas de collier, pas de tatouage, ton chat est bel et bien perdu, petite ! »

Il m'a fallu du courage pour résister à la tentation de lui envoyer un *Mutăreni Serpens !* ou même un *Mutăreni Musca !* Un petit sort de rien et cet affreux bonhomme serait devenu un serpent ou une petite mouche qui n'aurait plus jamais eu l'occasion de décourager qui que ce soit.

CHAPITRE 6

Magie ou pas magie ?

Nous avons raccompagné Zoé et je lui ai promis de continuer les recherches. Avant de reprendre l'autobus, Mandragore et moi, nous nous sommes assis un moment sur un banc du square.

– Ah, enfin, une pause... a dit Mandragore en étirant ses pattes. J'ai les coussinets en compote !

Au même moment, deux gros pigeons se sont approchés. Ils ne semblaient pas effrayés par mon chat, ils semblaient intrigués. Le plus gros, surtout. Il a mis son bec à quelques centimètres du museau de Mandragore pour l'observer.

– Dégage, le piaf ! a craché mon chat.

Pour bien se faire comprendre, il a sorti les griffes et hérissé le poil. Affolé, le deuxième pigeon a décollé, mais le gros a sauté sur le banc.

Mandragore a poussé un cri strident quand le pigeon s'est mis à parler :

– Toujours aussi ronchon, ton chat, Esther ! a-t-il dit sèchement. Ronchon et malpoli...

– Qui... êtes-vous ? ai-je demandé.

– Sorcière Ébéna ! Je suis venue voir si tout se passait bien pour toi dans l'Autre Monde.

– Bien, très bien même, et je ne fais jamais de magie devant les humains ! ai-je à peine menti.

– Esther, je dois aussi te demander si tu souhaites rentrer chez nous ?

– Oh non ! me suis-je écriée. Surtout pas. Pas maintenant, j'ai encore trop de choses à découvrir !

– Reste si tu veux, m'a répondu Ébéna. Je reviendrai. Ton Premier prix de Curiosité t'a donné le droit d'aller et venir entre les Mondes mais, pour ce grand voyage, tu auras toujours

besoin de la magie d'une sorcière expérimentée !
Au même instant, l'autre pigeon est revenu sur le
banc. Prudent, il s'est posé le plus loin possible de
Mandragore.

– Bonjour, ai-je dit très poliment. Qui êtes-vous ?

– Ne te fatigue pas, Esther, a rigolé Mandragore.
Celui-là, je l'ai vu picorer, c'est un vrai de vrai.

Le vrai pigeon a sautillé pour se coller contre Sorcière Ébéna et il a roucoulé.

– *Rooou... rooouuu...* l'a imité Mandragore. Wahou, un pigeon amoureux ! Vous devriez l'épouser, Ébéna, quel plumage !

Ébéna a chassé l'amoureux d'un coup d'aile et elle s'est fâchée :

– Fais taire ton chat, Esther ! Ou je serai obligée de dire au Grand Conseil qu'il se permet de parler dans l'Autre Monde.

Et, sans rien ajouter, elle s'est envolée.

Mandragore s'est mis à rire.

– Ça alors... Joli, le coup du pigeon. Elle est désagréable, cette Ébéna, mais quelle imagination !

– Tu es content de toi ? Moi, j'ai eu peur d'être obligée de rentrer et Môssieur se moque d'une envoyée du Grand Conseil !

– Oooh, si on ne peut plus rigoler ! a répondu Mandragore. Bon, qu'est-ce qu'on fait, Esther ? On ne va pas rester ici jusqu'à la nuit ? Tu as une autre idée pour trouver ce chat ?

– Non.

– On laisse tomber, c'est ça ?

– Je ne sais plus quoi faire, on a tout essayé.

– Alors, c'est fichu pour mon coussin.

– Tu m'énerves avec ton coussin ! Puce a disparu et toi, depuis le début, tu ne penses qu'à ton truc en fourrure rose ! J'aurais dû lui donner ton collier aussi, tiens !

Mon chat a avalé sa salive et posé la patte sur sa gorge d'un air offusqué.

– Tu... veux qu'on rentre, Esther ?

– Non, je réfléchis.

Une famille traversait le square, j'ai attendu qu'elle s'éloigne pour ajouter :

– Tu vois, Mandragore... Si j'étais certaine de retrouver Puce, je n'hésiterais pas, j'emploierais la magie ! Les sorcières n'ont pas l'air de nous surveiller de trop près. La preuve, Ébéna n'a pas dit un mot sur mon sort pour faire apparaître les billets. Mais il n'existe pas de formule pour les chats perdus...

– Évidemment, a répondu Mandragore. Aucune sorcière n'a jamais eu besoin d'en inventer une. Nous, nous ne nous perdons pas ! Suffit de demander son chemin, ce n'est quand même pas compliqué.

Une grand-mère avec un grand sac en papier approchait dans l'allée. À quelques mètres de nous, elle a lancé des miettes de pain et tous les oiseaux du parc sont venus voleter à ses pieds. Il en arrivait de partout !

Soudain, j'ai souri (un grand, grand sourire).

– Regarde... ai-je chuchoté à mon chat. Ils s'envolent et ils atterrissent tous au même endroit !

– Ben, quoi ? C'est assez normal pour des oiseaux, tu ne voudrais pas qu'ils se mettent à ramper ?

– Ça me donne une idée ! Oh, je suis contente ! Arrête de râler et dépêche-toi, Mandragore, on rentre à la maison. Viiiiite, j'ai des potions à préparer...

CHAPITRE 7

Sortilèges et touffe de poils

Puisque j'étais décidée à utiliser la magie (et la meilleure) pour retrouver Puce, j'aurais pu lancer le sortilège d'apparaissance. On serait arrivés en un instant, *ziou !* comme dit Zoé, dans le jardin d'Agatha. Mais je n'y ai même pas pensé ! J'ai couru prendre mon autobus, Mandragore sur les talons.

Dans le jardin devant la maison, Agatha se prélassait sur une chaise longue. Elle avait cette chose sur les oreilles dont je ne me rappelle jamais le nom et elle dodelinait de la tête en chantant un air affreux : *Si tu m'aimes... Mon amour, dis-le moiiii...*

Mandragore a fait sa pire grimace.

– Au secours ! Il serait temps qu'elle rentre ! a-t-il grogné en gravissant le perron. Dis, Esther, tu sais, toi, pourquoi Agatha est là ?

– Sans doute, comme moi, pour observer ce monde, mais elle a l'air de tellement se plaire ici que je me demande si elle arriverait à revivre chez nous.

On est rentrés tout de suite pour monter dans mon laboratoire.

– Alors ? Tu vas me dire ton idée, oui ? a demandé Mandragore pendant qu'on grimpait les escaliers. Je n'en peux plus d'attendre !

J'ai ouvert lentement la porte de ma chambre.

– Allez, Esther... Dis-moi ce que tu vas faire !

Mandragore ne me quittait plus des yeux, prêt à boire mes paroles.

– Esther....

Je me suis assise sur la petite table.

– Je vais t'expliquer les sortilèges que j'ai l'intention de tenter ce soir...

Mon chat m'a écoutée sans dire un mot. Et plus il m'écoutait, plus il écarquillait les yeux. Soudain, il a posé ses pattes sur son front et il a dit en hochant la tête :

– Elle est folle ! Elle est folle !

– Mandragore, tu pourrais me faire confiance quand même !

– Te faire confiance ? Faire confiance à une sorcière de première année pour un plan pareil ? Et... sans vouloir te vexer, une sorcière de première année qui n'a pas toujours, loin s'en faut, d'excellentes notes ! Bon, je récapitule, Esther, et tu me corriges si je me trompe... Ce soir, on prépare la poudre et la potion ici, dans ton laboratoire. Puis on attend la nuit, c'est ça ?

– Oui...

– Ensuite, on retourne au square près de la fontaine dans la partie où il n'y a pas beaucoup d'arbres. Et c'est là que tu lanceras en l'air la première poudre en disant le sortilège d'envol ?

– Oui...

– La poudre se diffusera dans les airs et atteindra tous les chats aux alentours.

– Sauf les chats enfermés dans des maisons, ai-je précisé. Mais les nuits sont si chaudes en ce moment que presque tout le monde garde une fenêtre ouverte.

– Pas mal comme plan, pas mal... a reconnu Mandragore. Les chats atteints par la poudre devraient tous s'envoler dans la nuit et...

– Et nous rejoindre au square, attirés par ma deuxième potion : la luminescence ! Continue, Mandragore.

– Tous les chats vont atterrir à nos pieds... comme les pigeons atterrissaient aux pieds de la mémé. Et on espère qu'ils se poseront en douceur... surtout pour eux, sinon gare aux dégâts ! Après, on n'aura plus qu'à retrouver le Puce de Zoé au milieu du tas !

– C'est ça !

Mandragore a souri.

– J'ai tout compris ! Je suis un génie !

Il a bondi sur ma table et promené son museau de pots en flacons. L'air soucieux, il m'a demandé :

– Tu as tous les ingrédients pour fabriquer la poudre et la potion ?

– Il ne me manque qu'un peu d'or pour la luminescence.

– Un bracelet d'Agatha fera l'affaire, a dit-il en riant. Je sais où en trouver un !

Mais Mandragore a perdu le sourire dès qu'il a appris que le seul ingrédient qui me manquait pour la poudre d'envol, c'était une grosse touffe de poils de chat.

CHAPITRE 8

Quinze grammes d'ailes d'insectes

Mon laboratoire d'ici est fait de bric et de broc. Je n'ai rien pu apporter de chez moi. Dame Mira, la directrice, ne m'en a pas laissé le temps. Rien à voir avec celui de notre maison au bord du lac où j'ai mon chaudron à moi à côté de celui de ma mère, ma table en bois ciré, mes flacons de verre, un alambic personnel et autant de fioles que nécessaire.

Ici, pas de balance aux poids de cuivre pour peser mes ingrédients, je dois me contenter d'une affreuse tablette en plastique empruntée dans la cuisine d'Agatha. Pour remplacer mes fioles, j'ai accumulé des récipients : des pots de confiture vides, un pot de pâte à tartiner léché avec soin par Mandragore, une bouteille et quelques flacons de shampoing qui sentent encore la pomme. Pour écraser la poudre, pas de pilon, pas de mortier. Je me sers d'un manche de balayette et d'un bol !

Les ingrédients aussi, il m'en manque beaucoup. J'ai cueilli certaines plantes au cours de mes promenades, mais l'essentiel provient des placards de la cuisine. Heureusement, pour la poudre d'envol et la potion de luminescence, je n'avais besoin ni de racine de mandragore ni d'écaille de dragon.

Dans le bol, j'ai broyé un caillou blanc ramassé une nuit de pleine lune. Pendant ce temps, Mandragore griffait le bracelet d'Agatha pour obtenir de la poussière d'or (0,3 gramme).

J'ai ajouté et mélangé une feuille de sauge, une fleur de giroflée et, bien sûr, quelques ailes d'insectes desséchées (environ 15 grammes).

– Mandragore, il ne manque plus que la touffe de poils.

– Oui, oui... Attends, j'ai presque fini ma poudre d'or. Commence donc la potion de luminescence ! Il m'a fallu très peu de temps pour la fabriquer. Dans le bol, j'ai vite réduit en poudre deux cocons de luciole. Évidemment, j'ai tamisé, il ne faut surtout pas laisser de morceaux. J'ai ajouté 20 gouttes de rosée et de l'essence de menthe (pour masquer un peu l'odeur infecte des cocons), le tour était joué.

Mon chat, lui, n'avait toujours pas terminé.

– J'ai l'impression que tu traînes exprès, Mandragore. Tu ne pourrais pas griffer ce bracelet un peu plus vite ?

– Oh, ça va ! Je ne veux pas bâcler le travail. Je m'applique, moi. Dis, Esther... on pourrait faire une pause et aller dîner ? On n'a pas mangé de la journée.

– Non, tu mangeras ce que tu voudras en rentrant du square.

– Vrai ? s'est réjoui mon chat. Même la glace à la vanille dans le congélateur d'Agatha ? Et peut-être aussi un petit biscuit ? Ou deux, ou trois ?

– Ou quatre... à condition que tu grattes plus vite !

Alors, parce que nous n'avions plus une seconde à perdre et qu'il me tournait le dos, j'ai posé les doigts en douceur sur le pelage de mon chat et...

– Aïe ! Esther ! Tu m'as eu en traître !

Ce n'était pas faux mais, quelques minutes plus tard, on pouvait enfin sortir en catimini de la maison, poudre et potion en poche.

CHAPITRE 9

Le vent se lève

Mandragore s'est planté sur le trottoir devant la maison. Il s'est assis et il a fermé les yeux.

– Qu'est-ce qui te prend, Mandragore ?

– Ben, puisqu'il n'y a plus d'autobus à cette heure-là, tu vas sans doute nous jeter un sort d'apparaissance pour nous transporter au square. Alors, je ferme les yeux parce ce que ça me donne toujours mal au cœur, ce truc-là !

J'ai regardé autour de nous. Tout semblait calme, mais j'hésitais. Je me suis penchée à l'oreille de mon chat pour lui chuchoter :

– Tu sais... J'y ai pensé, mais je crois que nous devrions marcher. Imagine qu'Ébéna ou une autre sorcière nous surprenne si près du but et nous empêche de sauver Puce ? Non ! Je ne prendrais pas ce risque.

Mandragore a ouvert les yeux d'un coup.

– Tu n'es pas en train de me dire qu'on va y aller à patte ? Tu as vu l'état de mes coussinets ?

– Ils sont très bien, tes coussinets, Mandragore. Et puis Agatha dit que la marche est bonne pour la santé.

– Pfff ! N'importe quoi ! Si c'était si bon, pourquoi les gens d'ici auraient-ils inventé toutes ces choses pour éviter de marcher ? Les voitures, les vélos, les poussettes, les avions ! Ha ! Tu ne sais plus quoi dire, hein ?

Il a aussitôt refermé les yeux en s'exclamant :

– Allez, Esther, je suis prêt... Lance ton sort !

Je suis partie sans l'attendre. J'arrivais à l'angle de la rue quand il s'en est rendu compte. Il m'a rejointe en courant, en soupirant, en haletant et en boudant, comme à son habitude.

Nous avons mis un bon quart d'heure à arriver en ville. Les rues étaient presque désertes mais, à la sortie d'un restaurant, un couple nous a remarqués.

– Qu'est-ce que tu fais dehors à cette heure, petite ? m'a demandé le monsieur.

– Ça ne se voit pas ? a rigolé cet idiot de Mandragore en se mettant debout sur ses pattes arrière. C'est un vampire, elle cherchait une proie et elle vous a trouvés !

L'homme et la femme ont poussé un hurlement. Nous, on a couru comme des fous jusqu'au square. On a escaladé la grille et on s'est dirigés vers l'endroit prévu.

– Prêt, Mandragore ? ai-je demandé en disposant mes potions sur le rebord de la fontaine.

J'ai dévissé le couvercle du pot pour prendre une poignée de poudre d'envol et j'ai répété :

– Prêt ?

– Ben...

– Alors, c'est parti ! *Volăte... Volăte Pulvéris...*
Feles quamini !

Mais la poudre m'est retombée sur la tête.

– Qu'est-ce qui se passe ? a grogné Mandragore.
Tu connaissais la formule tout à l'heure dans ton
laboratoire ! Ça commence bien...

J'ai repris une poignée de poudre.

– *Volăte Pulvéris... Feles quamini... et... et...*

– Esther ! T'en oublies certainement un bout !
Ne me dis pas que tu as fait un énorme trou dans
mon magnifique pelage pour rien ?

– *Quamini... Toutis,* c'est ça, Mandragore !
Volăte Pulvéris Feles quamini... Toutis Feles volăte
Nocte !

Et, en bourrasques, un vent s'est levé. J'ai lancé la
poudre blanche. Elle est montée en tournoyant
puis elle s'est dispersée.

– *Volăte Pulvéris Feles quamini... Toutis Feles*
volăte Nocte !

– Esther, pourquoi tu la répètes puisque ça
marche ? s'est inquiété mon chat.

– Deux fois ! Je dois la dire deux fois !

Lentement, le vent est retombé et tout est redevenu apparemment normal. On a attendu, on a guetté, le nez et le museau en l'air.

– Il ne se passe pas grand-chose, n'a pu s'empêcher de dire Mandragore.

Et brusquement, il s'est mis à bégayer.

– Là, là, là... Esther !

Il pointait la patte vers le plus haut des immeubles qui bordaient le square. J'ai réussi à repérer une petite tache grise, puis une blanche. Elles flottaient dans l'obscurité.

– Des chats ! Des chats ! a crié Mandragore qui voit encore mieux que moi dans la nuit. Ça marche ! Ça marche, Esther !

– Tu en doutais ?

– Ben... Ça, ce n'est pas un sort de sorcière débutante, si ?

Ils arrivaient des toits, des balcons, des fenêtres. Ils descendaient d'un mètre ou deux, planaient doucement puis remontaient un peu. En quelques minutes, la nuit s'est remplie de chats.

– Il faudrait peut-être les faire atterrir maintenant ? s'est impatienté Mandragore. Et ça serait bien d'éviter qu'ils s'écrasent...

Je ne réagissais pas, j'étais comme hypnotisée par le spectacle. Même chez moi, je n'avais jamais réussi un sort comme celui-là.

– Attention, Esther, il y en a déjà qui s'éloignent !

Ils vont se retrouver portés par d'autres vents !
Fais quelque chose !

Je me suis précipitée sur la potion de luminescence.

– Elle va nous permettre de les attirer ici.

Mandragore, j'ai encore besoin de toi ! Moi, je dis
la formule et toi... tu bois !

CHAPITRE 10

Une pincée de poudre d'envol

I l était amusant, Mandragore, devenu bleu fluorescent. Furieux mais lumineux.

– Beurk, ta potion était dégoûtante, Esther ! a-t-il crié. De quoi j'ai l'air ? Je ressemble à une luciole !

– Ne t'inquiète pas, ça ne va pas durer.

En grimaçant, il a tendu la patte pour observer de plus près l'effet sur son pelage.

– Oh là là... mais dans quel état, je vais finir, moi ? a-t-il gémi. Les coussinets en compote, des poils arrachés et empoisonné !

– Chut... Regarde...

Attirés par Mandragore brillant comme une ampoule, les premiers chats ont commencé à se poser. Un minuscule chaton a même atterri sur son dos. Il a miaulé en l'agrippant de toutes ses forces.

– Eh, oh, ça va ! Je ne suis pas ta mère ! a protesté Mandragore.

Les autres chats aussi se sont précipités vers lui.

– Mais ne me collez pas comme ça ! a-t-il crié. Au secours, Esther !

Il s'est éloigné le plus vite possible mais ils l'ont suivi. J'avais peut-être mal dosé ma potion. Mandragore disparaissait au milieu des chats.

– S'cours... m'étouffent...

Je suis allée le prendre dans mes bras et j'ai grimpé sur un banc, immédiatement suivie par plusieurs gros matous.

Des dizaines et des dizaines de chats avaient envahi le square ! Dans les allées, sur les bancs et même sur les poubelles, il y en avait partout.

– Bon, écoutez-moi ! a crié Mandragore, réfugié sur le dossier du banc. On se calme ! Dites-moi... lequel d'entre vous est le Puce de Zoé ?

Pas de réponse, évidemment. Juste des dizaines de miaulements.

– Oh là là, a gémi Mandragore. On ne va pas y arriver comme ça. Il va falloir qu'on les trie et il y en a pour des heures. Esther, as-tu gardé une affichette avec la photo de Puce ?

J'en avais conservé une, pliée en quatre au fond de ma poche.

– Génial, a dit mon chat. On va pouvoir les comparer et j'aimerais bien que tu me débarrasses avant tout du chaton que j'ai sur la tête !

– On dirait qu'il t'adore...

– M'en fiche ! Il est gris, ce n'est pas Puce. Débarrasse-m'en, je te dis !

J'ai lancé une pincée de poudre d'envol sur le chaton. Vu sa taille, c'était bien suffisant. Je l'ai regardé monter, s'éloigner et retrouver son balcon.

– Bon, Esther, je propose que l'on commence par ceux qui sont sur le banc, a grogné Mandragore. Ça me fera de la place.

Aucun des chats près de Mandragore ne ressemblait à Puce, j'ai envoyé quelques pincées et ils se sont envolés. Puis, calmement, je me suis occupée de ceux qui avaient envahi l'allée. Il s'agissait de ne pas aller trop vite et de bien les regarder. Bien sûr, des jeunes chats comme Puce, il nous en est resté un grand nombre. Dix-sept exactement.

Pour mieux les observer, je les ai alignés sur le rebord de la fontaine. Ils étaient tellement hypnotisés par Mandragore qu'ils n'ont pas tenté de s'échapper. Ils ne bougeaient pas d'un millimètre. Il faut dire que Mandragore était assez autoritaire.

– Le premier qui remue une oreille aura affaire à moi ! grondait mon chat en faisant les cent pas devant le rang.

– Doucement, tu vas les effrayer.

– Mais non ! Regarde-les, ils ne me quittent pas des yeux et ils sourient bêtement.

Ce n'était pas faux. Ils suivaient d'un air émerveillé le moindre de ses déplacements.

J'ai repéré sur le deuxième chat en partant de la droite une tache blanche au bout d'une patte et je l'ai montré à Mandragore.

– Ce n'est pas Puce ! a tonné mon chat. Et *hop !* un de moins !

Le cinquième en partant de la droite avait une tache brun clair sur le dos, le sixième était trop dodu... deux pincées de poudre et *hop !* deux de moins, comme disait mon chat.

– Quatorze... a recompté Mandragore. On approche, on approche...

On approchait, mais on en est resté là. Les quatorze chats assis sagement sur le bord de la fontaine ressemblaient trop à Puce pour qu'on les renvoie chez eux sans risque de se tromper.

– Il faut les montrer à Zoé. Elle, elle le reconnaîtra... ai-je dit en soupirant.

– Il est trop tard pour sonner chez elle, a dit très justement Mandragore.

– Je sais, il va falloir qu'on les ramène chez Agatha.

Mandragore s'est occupé de la troupe. Il les a fait mettre en ligne.

– J'ai dit en ligne, toi ! Attention, Monsieur le rebelle, je t'ai à l'œil ! a-t-il crié à un chaton.

Puis il a poussé un énorme soupir.

– Pff... C'est un vrai cauchemar. On en cherche un et on en trouve quatorze !

CHAPITRE 11

Miaouuuuuu...

es petits chats étaient fatigués. Alors, pour le retour, j'ai quand même dû lancer un sort d'apparaissance. Mandragore était ravi, d'autant plus que pour lui faire plaisir, j'avais visé la cuisine. On a tous réapparu sur le carrelage à quelques centimètres du congélateur.

– Tu es un amour, Esther ! Un amour ! a-t-il dit en ouvrant le bac à glaces.

Mais il a fallu que je l'aide à repousser les chatons, certains essayaient déjà de sauter dedans. Étrangement, ça a plu à Mandragore.

– On dirait qu'ils aiment la glace autant que moi, a-t-il dit. Ils sont sympas finalement.

Il s'est occupé d'eux avec dévouement. Il m'a demandé des soucoupes pour distribuer la glace à la vanille à parts égales (ou presque, vu qu'il s'en était attribué trois). Et il a voulu que je leur serve de l'eau.

– Dis... tu crois qu'ils aimeraient aussi des biscuits ? a ajouté mon chat.

On était bien, nous seize, étalés un peu partout dans la cuisine. Certains sous la table, d'autres dessus, un dans l'évier, deux près de la poubelle qui lapaient leur soucoupe.
La potion de luminescence ne faisait presque plus effet, mais Mandragore restait l'idole des chatons. À chacune de ses phrases, ils miaulaient en chœur.

– Oh, qu'est-ce que c'est bon !

– Miaouuuuuu...

– J'en reprendrais bien un peu, moi !

– Miaouuuuuu...

– Mais arrêtez de miauler à chaque fois que je parle !

– Miaouuuuuu...

– Faites moins de bruit, ai-je chuchoté. Qu'est-ce qu'on dira à Agatha si on la réveille ?

– Qu'on les a rencontrés par hasard, a plaisanté Mandragore. Ou alors qu'on fait un élevage...

Je n'avais pas du tout envie de mentir à Agatha.

– Il est temps de les installer pour la nuit, ai-je dit. On les monte dans ma chambre...

J'ai d'abord tenté de leur faire grimper les escaliers, mais les marches étaient hautes et les chats petits. Il nous a fallu beaucoup de temps pour atteindre le premier étage. Au moment où le premier des chats posait enfin une patte sur le palier, il a glissé. Il a tout dévalé et il a trouvé ça très amusant. Bien sûr, les autres aussi ont voulu essayer le toboggan.

– Oh nooon... Retiens-les, Mandragore !

– Qu'est-ce que tu veux que je fasse ? s'est exclamé mon chat. Regarde-les, on dirait qu'ils rigolent.

Les chats s'étaient dispersés dans l'entrée, je devais les chercher à tâtons. Je les déposais un à un dans l'un de ces grands paniers qu'Agatha utilise pour le marché. Je tâtais et Mandragore surveillait. J'ai tâté sous les meubles, dans le porte-parapluies et même dans les chaussures. C'est au fond d'une botte d'Agatha que j'ai récupéré le dernier.

– Voyou ! l'a grondé Mandragore. Pour remonter, pose donc un foulard sur le panier, Esther. Je ne voudrais pas qu'après la glissade, ils essaient le plongeon !

Au petit matin, je n'ai pas eu besoin de sonnerie, j'ai été réveillée par un coup de langue. Impossible de dire lequel m'avait léché l'oreille, tous les chats étaient sur ma couette.

Mandragore bâillait au pied de mon lit.

– Aaaah... non... pas déjà ! a-t-il protesté. Aaaah, Esther, ne me dis pas qu'il fait jour !

Je me suis levée, nous avions un programme chargé : montrer la petite meute à Zoé pour qu'elle identifie Puce et renvoyer les autres chats chez eux.

Mandragore s'est mollement étiré.

– C'est une grande réussite, notre affaire, a-t-il ironisé. On l'a joué en finesse, ce coup-là ! Au départ, on avait un seul chat perdu... et maintenant, grâce à ta magie... on a treize maîtres à retrouver !

Je n'ai pas répondu ; je suis allée prendre une douche. C'est beaucoup moins rapide pour être propre qu'un *Sine aqua Esther abliris*, mais ça réveille une sorcière bien davantage.

CHAPITRE 12

En avant...
Marche !

P as question d'utiliser la magie pour nous rendre chez Zoé puisqu'on pouvait s'en passer. Pas question de faire venir Zoé jusque chez Agatha, elle était trop jeune pour cette distance-là. Pas question non plus de prendre l'autobus : quand le chauffeur a vu tous les chats, il a refusé qu'on monte.

Dans les rues, notre défilé ne passait pas inaperçu. Une fois de plus, on faisait le trajet à pied et à patte. Plein de pattes... soixante exactement, en comptant celles de Mandragore. Il trottait devant et je fermais la marche. Le sort de luminescence n'avait plus aucun effet mais, même sans magie et sans glace à la vanille, les chatons le suivaient partout.

– Venez voir ! criaient les gens sur notre passage. Vite ! Ils sont tordants !

– On dirait que le plus gros en tête est le général en chef, a dit une boulangère sortie sur le trottoir.

– Mais qu'est-ce qu'ils ont tous à me traiter de gros ? a pesté Mandragore.

– Peut-être que tu abuses des croquettes que soi-disant tu détestes ?

– N'importe quoi !

– Une, deux ! Une, deux ! a lancé un client de la boulangère. À mon commandement... en avant... marche !

Ils ont ri. Et on a pressé le pas.

C'est le père de Zoé qui nous a ouvert.

– Esther ? Qu'est-ce que tu fais ici si tôt ? Tu as des nouvelles de Puce ?

Je n'ai rien dit, je me suis seulement décalée pour qu'il découvre lui-même le spectacle derrière moi.

– Zoé ! a-t-il crié. Zoé ! Zoé, viens vite !

Zoé a déboulé en pyjama, les cheveux en pagaille. Elle était suivie par un petit garçon, sans doute son petit frère.

– Y a plein de Puce ! Des Puce partout ! s'est-il exclamé joyeusement.

Zoé est arrivée en courant. Je ne sais même pas si elle nous a vus, Mandragore et moi. Là, sans aucune hésitation, elle a pris un chat dans ses mains. Elle l'a levé au-dessus de sa tête et elle a dit en riant :

– Puce ! J'ai eu tellement peur !

Incroyable... Elle ne connaissait pas la moindre formule, pas le plus petit sort et elle l'avait reconnu en une fraction de seconde au milieu de quatorze chats noirs tous semblables !

– Esther... m'a chuchoté Mandragore. Tu es sûre que les humains n'ont pas un ou deux pouvoirs ? Parce que là, il va falloir m'expliquer comment elle a fait pour reconnaître son chat aussi vite ?

Zoé a enfin réalisé qu'on était là.

– Esther ! Mais... où as-tu trouvé tous ces chats ? Ils ressemblent tellement à Puce !

– Je t'expliquerai une autre fois, Zoé. On se reverra mais, pour le moment, j'ai encore beaucoup de choses à faire. Il faut que je retrouve les propriétaires de tous ceux-là...

Elle ne m'a pas vraiment écoutée. Elle câlinait son chat.

Son père m'a remerciée et j'ai commencé à faire redescendre la troupe dans les escaliers.

Du rez-de-chaussée, j'entendais encore Zoé parler à Puce.

– Tu as l'air en forme ! disait-elle. Oh, ne me refais jamais une trouille pareille ! Jamais, jamais !

Mandragore a repris la tête de file. Au moment où j'ouvrais la porte de l'immeuble, j'ai entendu des pas précipités dans les escaliers.

– Esther ! a crié Zoé en s'élançant vers moi.

Elle s'est jetée dans mes bras et a déposé un gros baiser sur ma joue.

Je suis restée bouche bée. Chez les sorcières, on ne s'embrasse pas.

– Merci, merci, Esther ! Merci !

Je l'ai serrée très fort. Et je suis sortie.

Sur le trottoir, Mandragore avait déjà repris son rôle de chef.

– En rang ! a-t-il ordonné aux petits chats. On ne miaule pas, on ne s'agite pas ! Esther va vous lancer une pincée de poudre d'envol et vous serez bientôt chez vous.

– Euh...

– Oui, Esther ?

– Je crois que je l'ai oubliée dans mon laboratoire.

Mandragore a poussé un énorme soupir.

– Eh bien, faisons comme les humains. Puisqu'ici, quand on trouve un chat perdu, on l'emmène chez le vétérinaire, allons-y ! Vous autres, à mon commandement, en avant... Marche !

CHAPITRE 13

... 13 chats

noirs

Comment décrire la tête du vétérinaire ? Des yeux exorbités, la bouche ouverte et un air soudain très fatigué.

C'est son assistant qui l'a prévenu de notre arrivée. Il est entré sans frapper dans la salle de consultations en criant :

– Docteur Mathieu ! La petite qui est passée hier vous ramène des chats perdus. Venez vite, Docteur ! De toute ma vie, je n'ai jamais vu ça !

Le vétérinaire non plus, apparemment. Il s'est massé le front avant de dire :

– Bon !

C'est tout ce qu'il a dit : « Bon ! ». Puis il a regardé de près un chat attrapé au hasard.

– Celui-là est tatoué, Antoine... Mettez-le en cage, consultez le fichier sur l'ordinateur et appelez le propriétaire pour qu'il vienne le chercher.

Curieusement, le vétérinaire ne m'a posé aucune question. Il observait les chats.

– Combien y en a-t-il en tout ? a-t-il demandé à son assistant.

– Treize, a-t-il répondu tout de suite. Treize chats noirs ! Oh là là, pourvu que ça ne nous porte pas malheur !

– Pourquoi dit-il ça ? a grogné Mandragore.

– Je ne sais pas, tais-toi.

Le docteur Mathieu a vite constaté que huit étaient tatoués et que trois autres avaient une puce. Un seul n'avait ni l'un ni l'autre. Un chaton sur chaque bras, son assistant courait d'une pièce à l'autre pour consulter l'ordinateur.

– Docteur, une dame vous demande au

téléphone, a-t-il dit en apportant le combiné au vétérinaire. Elle est bizarre. Elle dit qu'hier soir, son chat s'est envolé du balcon ! Je vous la passe quand même, docteur ?

– NON ! Je veux bien soigner nuit et jour les animaux, mais pas leurs maîtres qui perdent la tête ! Puis, soudain, le vétérinaire m'a regardée.

– Je prends en charge tous les chats que je peux identifier, mais tu t'occuperas de celui-là, a-t-il dit en me donnant le chaton sans puce ni tatouage.

J'allais répondre que je ne savais quoi en faire, mais il m'a poussée vers la porte.

– Allez, rentre chez toi. Il ne t'en reste qu'un, tu te débrouilleras.

On est repartis. J'étais inquiète. Comment retrouver son maître ? Le chaton s'en moquait. Au petit trot, il suivait Mandragore.

– Retour au point de départ... a grommelé Mandragore. Il y a toujours un chat perdu sauf que ce n'est plus le même !

Dans la rue principale, au loin, j'ai reconnu le magasin pour chats et pour chiens.

– Tiens, ai-je dit à mon chat. Ça fait longtemps que tu ne m'as pas parlé de ton coussin rose ?

– Oh, c'est vrai... a gémi Mandragore. Mon beau coussin ! Je l'avais complètement oublié.

Il a secoué la tête d'un air résigné.

– Tant pis... a-t-il ajouté. De toute façon, on ne fait que marcher. Je ne sais même plus à quoi ressemble un canapé.

On arrivait devant le magasin quand il a pilé.

– Esther ! s'est-il exclamé. Regarde la vitrine ! Je vois double, ou quoi ?

Une affichette avait été accrochée juste à côté de la nôtre. Sur la photo, un chat presque identique à Puce levait fièrement le museau.

– Lis ! a dit Mandragore.

– Pompon a disparu hier soir, nuit du 29 mai... Sous la photo, un numéro de portable.

– Pompon ! Quel nom ridicule, a protesté Mandragore.

– Bingo ! C'est le nôtre ! a lancé mon chat en donnant un coup de patte amical dans le dos du petit chat surpris. Mon petit pote, j'ai l'impression qu'on parle de toi.

Puis il s'est retourné vers moi.

– Qu'est-ce que tu attends, Esther ? a-t-il demandé. Entre dans le magasin et téléphone aux propriétaires ! On leur ramènera leur Pompon et *hop !* à nous la récompense.

– Non, oublie la récompense, Mandragore. Vu que c'est nous qui l'avons pris, ça serait comme la rançon d'un kidnapping. On n'est pas des bandits.

Mandragore a jeté un œil à la vitrine. Je pense qu'il avait encore plein d'idées pour dépenser d'autres billets.

– D'accord, d'accord... a dit mon chat après un soupir. Tu as raison mais va téléphoner, Esther. On rend le Pompon et on rentre. Ah, je vais faire une sieste de mille ans, moi !

J'ai pris le petit chat dans mes bras. Je poussais la porte quand Mandragore a tiré le bas de ma jupe.

– Dis, Esther, finalement... si ça ne t'embête pas... je veux bien que tu comptes la monnaie qui reste au fond de ta poche. Il y a peut-être assez pour un autre coussin rose ?

Plus tard, sans lui donner de détails sur notre nuit au square, j'ai raconté à Agatha les retrouvailles de Zoé et de son chat. D'après Agatha, il n'y avait aucune magie là-dedans. Zoé avait reconnu Puce parce qu'il y avait entre eux une magnifique histoire d'amour. Mandragore n'en a pas cru un mot.

– N'importe quoi ! a-t-il dit lorsqu'on s'est retrouvés seuls dans ma chambre. Il faudrait qu'elle arrête de regarder ses feuilletons idiots à la télévision, la sorcière Agatha. Ça lui ramollit le cerveau. L'amour, l'amour... tu parles ! Je te le dis, Esther : les humains ont des pouvoirs magiques comme vous, un point c'est tout. *Ils ont des pouvoirs* et les sorcières du Grand Conseil vont faire une drôle de tête quand tu leur apprendras ça !
Je n'étais pas très loin de penser comme lui.

Bien sûr, dans le magasin pour chats et chiens, j'avais acheté un autre coussin à Mandragore.

Dès que j'ai posé le paquet sur mon lit, il s'est précipité dessus. D'un coup de griffe, il a déchiré l'emballage.

– Bonne nuit, Esther ! a-t-il crié en plongeant dans son coussin en fourrure rose. Maintenant... sieste. On se revoit dans mille ans !

Je me suis allongée aussi et j'ai rêvassé à tout ce qui s'était passé. J'ai revu les chats qui volaient dans la nuit, j'ai revu la troupe qui déambulait dans les rues menée par Mandragore général en chef et Zoé soulevant son Puce. J'ai même revu la tête du vétérinaire et j'ai éclaté de rire.

– Chut... a grogné Mandragore.

Comme j'étais contente de mon aventure ! Même si j'avais failli perdre le droit de rester ici. Le sac de cadeaux que je préparais pour mon retour était encore au pied de mon lit et j'allais pouvoir continuer de le remplir. Je voulais davantage de surprises pour ma mère. Un téléphone portable pour mon amie Lucia, peut-être ? Agatha avait l'air d'adorer ça. Non, c'était idiot. Chez nous, personne n'en utilise. Ou alors un appareil pour écouter de la musique ? Oui, ça, c'était une bonne idée !

– Esther ? Tu dors ?

Mandragore s'est retourné, les yeux fermés. Il ronronnait sur son coussin.

– Tu sais quoi, Esther ? a-t-il dit en s'étirant. C'est super d'être une sorcière mais rien ne vaut d'être son chat !

Table des chapitres

Sophie Dieuaide

"La mère de la mère de mon père le réveillait la nuit pour les emmener, lui et son frère, dans la campagne. Elle les faisait allonger sur une couverture et, sous la lune, elle leur racontait des histoires de sorcières, bien sûr. Elle s'y connaissait. En Vendée, beaucoup s'y connaissaient. Mille fois, il m'a décrit la scène. Pas une seule, il n'a voulu me raconter ce qu'elle disait. Maintenant, je crois que je sais."

Marie-Pierre Oddoux

À l'école pour dessinateurs et dessinatrices, Marie-Pierre expérimente les couleurs, les encres, les pastels et les craies grasses. Mais surtout, elle apprend les formules magiques qui donnent forme à l'imaginaire et aux rêves. Elle se spécialise dans l'univers jeunesse et la littérature pour adolescents.

Depuis son atelier basé dans le petit hameau de Pollet, Marie-Pierre bidouille et gribouille pour donner vie à des tas de personnages et de mondes fantastiques, pour le plus grand bonheur des petits et des grands.

Les petites filles top-modèles

Une histoire de Clémentine Beauvais,
illustrée par Vivalablonde

CHAPITRE 2

Une très grande nouvelle

J e suis l'égérie de la marque de vêtements de luxe pour enfants Rond-Point. Je suis aussi la mannequin junior number one des téléphones portables Phone4Kids, des parfums Fraise & Sucre et du géant du bricolage Bricafacile. J'ai tourné quarante-sept publicités depuis ma naissance. « Mmm, Maman, il est bon ton flan ! », c'est moi. « Trop la honte d'aller à l'école si on n'a pas la colle Plastocol ! », c'est moi. « Un jour mon Prince viendra… si j'ai fait un gâteau au chocolat Monnat ! », c'est encore moi. À sept mois, j'ai été élue Bébé Beauté au concours Grenouillère-et-Gazouillis organisé par les couches Bébédoux. À dix mois, j'avais déjà trois mille sept cents euros sur mon compte en banque. Il y a trois semaines, j'ai été nommée Meilleure Espoir du Mannequinat Français, 9-14 ans. J'ai gagné loin devant Lucie Larvac et Saskia Parmentier, qui ont 13 et 14 ans et ont déjà tourné des pubs aux États-Unis ! L'année dernière, j'ai été mentionnée dans *Elle* au cours d'un article sur les petites filles top-modèles :

Mais comment ces petites surdouées de la photogénie font-elles pour ne pas craquer sous la pression, et pour suivre un cursus scolaire normal ? Du haut de ses dix ans, Diane Châtelain, l'une des mannequins junior les mieux payées de France, nous affirme qu'elle n'a jamais eu de problème à jongler entre toutes ses activités : « Je fais de l'escrime et du violoncelle en plus de mes séances photos, et c'est parfois fatigant, mais je préfère me bouger plutôt que de rester chez moi à regarder la télé !

Et puis comme j'ai des horaires aménagés, l'école, c'est pas un problème – j'y vais tous les matins, pour avoir le temps de travailler l'après-midi. » Et l'argent, ça ne leur fait pas tourner la tête ? « Bof, l'argent, je n'ai pas le droit d'y toucher avant mes dix-huit ans, donc je n'y pense pas vraiment pour le moment », déclare la petite Diane. Une maturité admirable pour cette fillette d'une beauté stupéfiante, fine comme une liane, que l'on retrouvera sans doute dans dix ans au cœur d'une agence de mannequinat internationale.

À l'époque, je n'avais pas de bouton.

J'ai eu le temps de me débarbouiller avant de courir au réfectoire retrouver le reste de l'équipe. Quand je me suis installée entre Vanessa et Frédo avec mon plateau, ils m'ont dévisagée avec une sorte de fascination dégoûtée, comme si j'étais une lépreuse. J'ai vu mon reflet tout déformé dans la carafe en acier et c'est vrai que je n'étais pas au top. Je ressemblais au demi-pamplemousse posé sur mon assiette, dans le sens où on avait tous les deux une cerise confite au milieu de la figure.

– C'est l'âge ingrat, a dit Frédo.

– À onze ans, tout de même ! a dit Vanessa.

– Tu manges peut-être trop sucré, a fait remarquer Monsieur Photoshop juste en face de moi. Le sucre, ça donne de l'acné. Et puis, surtout, ça fait grossir.

Du coup, j'ai mangé mon pamplemousse sans sucre, en plissant les yeux comme si j'étais gravement myope à cause de l'acidité. « Grossir », c'est le mot tabou, le mot qui fait se hérisser les quelques rares poils oubliés à l'épilation. Dans le métier, grossir, c'est mourir. Quand je craque un élastique de culotte, j'ai des frissons dans le dos. Heureusement, mes parents font attention à ma ligne, une vraie brigade du régime à domicile. Avec eux, c'est carottes et cabillaud tous les jours. Hors de question que je perde mon job pour quelques tartines de Nutella de trop. Ils veulent que je réussisse.

Frédo a regardé mon bouton et il a murmuré :

– C'est vraiment pas le bon moment.

– Ce n'est jamais le bon moment pour avoir un bouton de cette taille-là, a dit Vanessa d'un ton docte.

– Oui, mais là… a dit Frédo, et puis il s'est interrompu.

Angélina venait d'arriver et s'était assise à côté de moi dans un grincement, dégageant Vanessa sans ménagements.

– Diane, ma grande, a-t-elle dit de sa voix métallique. J'ai quelque chose d'important à t'annoncer.

– Je croyais qu'on avait dit que c'était moi qui allais… a dit Frédo.

– Ce que j'ai à t'annoncer, Diane, a continué Angélina en paralysant Frédo d'un seul regard, est une très grande nouvelle.

Achevé d'imprimer en France par CPI en décembre 2015
N° d'impression : 132472